개역개정판/

series 1

하나님을 알아감

THE NAVIGATORS

1. 예수 그리스도

1) 예수님의 신성	요 1:1,14	히 1:8
2) 예수님의 인성	히 4:15	눅 2:52
3) 예수님의 부활	고전 15:3-4	고전 15:20
4) 예수님은 하나님을 나타내심	요 1:18	히 1:3
5) 구속자이신 예수님	눅 19:10	벧전 1:18-19
6) 예수님의 재림	살전 4:16-17	요일 3:2-3

2. 성령

1) 증거하시는 성령	요 16:13-14	고전 12:3
2) 내주하시는 성령	롬 8:9	갈 4:6
3) 통치하시는 성령	엡 5:18	갈 5:16
4) 계시하시는 성령	고전 2:9-10	요 14:26
5) 능력을 주시는 성령	고전 2:4-5	살전 1:5
6) 은사를 주시는 성령	고전 12:11	고전 12:4-6

예수님의 신성

요한복음 1:1,14
태초에 말씀이 계시니라. 이 말씀이 하나님과 함께 계셨으니 이 말씀은 곧 하나님이시니라. 말씀이 육신이 되어 우리 가운데 거하시매 우리가 그의 영광을 보니 아버지의 독생자의 영광이요 은혜와 진리가 충만하더라.

요한복음 1:1,14

Jesus' Deity

John 1:1,14

In the beginning was the Word, and the Word was with God, and the Word was God. The Word became flesh and made His dwelling among us. We have seen His glory, the glory of the One and Only, who came from the Father, full of grace and truth.

John 1:1,14

1 Jesus Christ

예수님의 신성

히브리서 1:8

아들에 관하여는 하나님이여 주의 보좌는 영영 하며 주의 나라의 규는 공평한 규이니이다.

히브리서 1:8

Jesus' Deity

Hebrews 1:8

But about the Son He says, "Your throne, O God, will last for ever and ever, and righteousness will be the scepter of Your kingdom."

Hebrews 1:8

예수님의 인성

히브리서 4:15

우리에게 있는 대제사장은 우리의 연약함을 동정하지 못하실 이가 아니요 모든 일에 우리와 똑같이 시험을 받으신 이로되 죄는 없으시니라.

히브리서 4:15

Jesus' Humanity

Hebrews 4:15

For we do not have a high priest who is unable to sympathize with our weaknesses, but we have one who has been tempted in every way, just as we are – yet was without sin.

Hebrews 4:15

예수님의 인성

누가복음 2:52

예수는 지혜와 키가 자라 가며 하나님과 사람에게 더욱 사랑스러워 가시더라.

누가복음 2:52

Jesus' Humanity

Luke 2:52

And Jesus grew in wisdom and stature,
and in favor with God and men.

Luke 2:52

예수님의 부활

고린도전서 15:3-4

내가 받은 것을 먼저 너희에게 전하였노니 이는 성경대로 그리스도께서 우리 죄를 위하여 죽으시고 장사 지낸 바 되셨다가 성경대로 사흘 만에 다시 살아나사

고린도전서 15:3-4

Jesus' Resurrection

1 Corinthians 15:3-4

For what I received I passed on to you as of first importance: that Christ died for our sins according to the Scriptures, that He was buried, that He was raised on the third day according to the Scriptures.

1 Corinthians 15:3-4

예수님의 부활

고린도전서 15:20

그러나 이제 그리스도께서 죽은 자 가운데서 다시 살아나사 잠자는 자들의 첫 열매가 되셨도다.

고린도전서 15:20

Jesus' Resurrection

1 Corinthians 15:20

But Christ has indeed been raised from the dead, the firstfruits of those who have fallen asleep.

1 Corinthians 15:20

예수님은 하나님을 나타내심

요한복음 1:18
본래 하나님을 본 사람이 없으되 아버지 품속에
있는 독생하신 하나님이 나타내셨느니라.
요한복음 1:18

Jesus Reveals God

John 1:18
No one has ever seen God, but God the One and Only, who is at the Father's side, has made Him known.

John 1:18

예수님은 하나님을 나타내심

히브리서 1:3
이는 하나님의 영광의 광채시요 그 본체의 형상이시라. 그의 능력의 말씀으로 만물을 붙드시며 죄를 정결하게 하는 일을 하시고 높은 곳에 계신 지극히 크신 이의 우편에 앉으셨느니라.

히브리서 1:3

Jesus Reveals God

Hebrews 1:3

The Son is the radiance of God's glory and the exact representation of His being, sustaining all things by His powerful word. After He had provided purification for sins, He sat down at the right hand of the Majesty in heaven.

Hebrews 1:3

구속자이신 예수님

누가복음 19:10
인자가 온 것은 잃어버린 자를 찾아 구원하려 함이니라.

누가복음 19:10

Jesus as Redeemer

Luke 19:10

For the Son of Man came to seek and to save what was lost.

Luke 19:10

구속자이신 예수님

베드로전서 1:18-19
너희가 알거니와 너희 조상이 물려준 헛된 행실
에서 대속함을 받은 것은 은이나 금같이 없어질
것으로 된 것이 아니요 오직 흠 없고 점 없는
어린양 같은 그리스도의 보배로운 피로 된 것이
니라.

베드로전서 1:18-19

Jesus as Redeemer

1 Peter 1:18-19
For you know that it was not with perishable things such as silver or gold that you were redeemed from the empty way of life handed down to you from your forefathers, but with the precious blood of Christ, a lamb without blemish or defect.

1 Peter 1:18-19

예수님의 재림

데살로니가전서 4:16-17
주께서 호령과 천사장의 소리와 하나님의 나팔 소리로 친히 하늘로부터 강림하시리니 그리스도 안에서 죽은 자들이 먼저 일어나고 그 후에 우리 살아남은 자들도 그들과 함께 구름 속으로 끌어 올려 공중에서 주를 영접하게 하시리니 그리하여 우리가 항상 주와 함께 있으리라.

데살로니가전서 4:16-17

Jesus' Return

1 Thessalonians 4:16-17

For the Lord Himself will come down from heaven, with a loud command, with the voice of the archangel and with the trumpet call of God, and the dead in Christ will rise first. After that, we who are still alive and are left will be caught up together with them in the clouds to meet the Lord in the air. And so we will be with the Lord forever.

1 Thessalonians 4:16-17

예수님의 재림

요한일서 3:2-3
사랑하는 자들아 우리가 지금은 하나님의 자녀라. 장
래에 어떻게 될지는 아직 나타나지 아니하였으나 그
가 나타나시면 우리가 그와 같을 줄을 아는 것은 그
의 참모습 그대로 볼 것이기 때문이니 주를 향하여
이 소망을 가진 자마다 그의 깨끗하심과 같이 자기를
깨끗하게 하느니라.

요한일서 3:2-3

Jesus' Return

1 John 3:2-3
Dear friends, now we are children of God, and what we will be has not yet been made known. But we know that when He appears, we shall be like Him, for we shall see Him as He is. Everyone who has this hope in Him purifies himself, just as He is pure.

1 John 3:2-3

증거하시는 성령

요한복음 16:13-14
그러나 진리의 성령이 오시면 그가 너희를 모든 진리 가운데로 인도하시리니 그가 스스로 말하지 않고 오직 들은 것을 말하며 장래 일을 너희에게 알리시리라. 그가 내 영광을 나타내리니 내 것을 가지고 너희에게 알리시겠음이라.

요한복음 16:13-14

Holy Spirit Testifies

John 16:13-14
But when He, the Spirit of truth, comes, He will guide you into all truth. He will not speak on His own; He will speak only what He hears, and He will tell you what is yet to come. He will bring glory to Me by taking from what is Mine and making it known to you.

John 16:13-14

증거하시는 성령

고린도전서 12:3

그러므로 내가 너희에게 알리노니 하나님의 영으로 말하는 자는 누구든지 예수를 저주할 자라 하지 아니하고 또 성령으로 아니하고는 누구든지 예수를 주시라 할 수 없느니라.

고린도전서 12:3

Holy Spirit Testifies

1 Corinthians 12:3

Therefore I tell you that no one who is speaking by the Spirit of God says, "Jesus be cursed," and no one can say, "Jesus is Lord," except by the Holy Spirit.

1 Corinthians 12:3

내주하시는 성령

로마서 8:9

만일 너희 속에 하나님의 영이 거하시면 너희가 육신에 있지 아니하고 영에 있나니 누구든지 그리스도의 영이 없으면 그리스도의 사람이 아니라.

로마서 8:9

Holy Spirit Indwells

Romans 8:9
You, however, are controlled not by the sinful nature but by the Spirit, if the Spirit of God lives in you. And if anyone does not have the Spirit of Christ, he does not belong to Christ.

Romans 8:9

내주하시는 성령

갈라디아서 4:6
너희가 아들이므로 하나님이 그 아들의 영을 우리 마음 가운데 보내사 아빠 아버지라 부르게 하셨느니라.

갈라디아서 4:6

Holy Spirit Indwells

Galatians 4:6

Because you are sons, God sent the Spirit of His Son into our hearts, the Spirit who calls out, "Abba, Father."

Galatians 4:6

통치하시는 성령

에베소서 5:18
술 취하지 말라. 이는 방탕한 것이니 오직 성령으로 충만함을 받으라.

에베소서 5:18

Holy Spirit Controls

Ephesians 5:18

Do not get drunk on wine, which leads to debauchery. Instead, be filled with the Spirit.

Ephesians 5:18

통치하시는 성령

갈라디아서 5:16

내가 이르노니 너희는 성령을 따라 행하라. 그리하면 육체의 욕심을 이루지 아니하리라.

갈라디아서 5:16

Holy Spirit Controls

Galatians 5:16
So I say, live by the Spirit, and you will not gratify the desires of the sinful nature.

Galatians 5:16

계시하시는 성령

고린도전서 2:9-10
기록된 바 하나님이 자기를 사랑하는 자들을 위하여 예비하신 모든 것은 눈으로 보지 못하고 귀로 듣지 못하고 사람의 마음으로 생각하지도 못하였다 함과 같으니라. 오직 하나님이 성령으로 이것을 우리에게 보이셨으니 성령은 모든 것 곧 하나님의 깊은 것까지도 통달하시느니라.

고린도전서 2:9-10

Holy Spirit Reveals

1 Corinthians 2:9-10

However, as it is written: “No eye has seen, no ear has heard, no mind has conceived what God has prepared for those who love Him” – but God has revealed it to us by His Spirit. The Spirit searches all things, even the deep things of God.

1 Corinthians 2:9-10

계시하시는 성령

요한복음 14:26
보혜사 곧 아버지께서 내 이름으로 보내실 성령 그가 너희에게 모든 것을 가르치고 내가 너희에게 말한 모든 것을 생각나게 하리라.
요한복음 14:26

Holy Spirit Reveals

John 14:26

But the Counselor, the Holy Spirit, whom the Father will send in My name, will teach you all things and will remind you of everything I have said to you.

John 14:26

능력을 주시는 성령

고린도전서 2:4-5

내 말과 내 전도함이 설득력 있는 지혜의 말로 하지 아니하고 다만 성령의 나타나심과 능력으로 하여 너희 믿음이 사람의 지혜에 있지 아니하고 다만 하나님의 능력에 있게 하려 하였노라.

고린도전서 2:4-5

Holy Spirit Empowers

1 Corinthians 2:4-5

My message and my preaching were not with wise and persuasive words, but with a demonstration of the Spirit's power, so that your faith might not rest on men's wisdom, but on God's power.

1 Corinthians 2:4-5

능력을 주시는 성령

데살로니가전서 1:5
이는 우리 복음이 너희에게 말로만 이른 것이 아니라 또한 능력과 성령과 큰 확신으로 된 것임이라. 우리가 너희 가운데서 너희를 위하여 어떤 사람이 된 것은 너희가 아는 바와 같으니라.

데살로니가전서 1:5

Holy Spirit Empowers

1 Thessalonians 1:5

Because our gospel came to you not simply with words, but also with power, with the Holy Spirit and with deep conviction. You know how we lived among you for your sake.

1 Thessalonians 1:5

은사를 주시는 성령

고린도전서 12:11

이 모든 일은 같은 한 성령이 행하사 그의 뜻대로 각 사람에게 나누어 주시는 것이니라.

고린도전서 12:11

Holy Spirit Gives Gifts

1 Corinthians 12:11

All these are the work of one and the same Spirit, and He gives them to each one, just as He determines.

1 Corinthians 12:11

은사를 주시는 성령

고린도전서 12:4-6

은사는 여러 가지나 성령은 같고 직분은 여러 가지나 주는 같으며 또 사역은 여러 가지나 모든 것을 모든 사람 가운데서 이루시는 하나님은 같으니

고린도전서 12:4-6

Holy Spirit Gives Gifts

1 Corinthians 12:4-6

There are different kinds of gifts, but the same Spirit. There are different kinds of service, but the same Lord. There are different kinds of working, but the same God works all of them in all men.

1 Corinthians 12:4-6

하나님의 능력

예레미야 32:17

슬프도소이다 주 여호와여. 주께서 큰 능력과 펴신 팔로 천지를 지으셨사오니 주에게는 할 수 없는 일이 없으시니이다.

예레미야 32:17

God's Power

Jeremiah 32:17

Ah, Sovereign Lord, You have made the heavens and the earth by Your great power and outstretched arm. Nothing is too hard for You.

Jeremiah 32:17

하나님의 지혜

로마서 11:33
깊도다 하나님의 지혜와 지식의 풍성함이여. 그의 판단은 헤아리지 못할 것이며 그의 길은 찾지 못할 것이로다.

로마서 11:33

God's Knowledge

Romans 11:33

Oh, the depth of the riches of the wisdom and knowledge of God! How unsearchable His judgments, and His paths beyond tracing out!

Romans 11:33

하나님의 임재

예레미야 23:24
여호와의 말씀이니라. 사람이 내게 보이지 아니하려고 누가 자신을 은밀한 곳에 숨길 수 있겠느냐. 여호와가 말하노라. 나는 천지에 충만하지 아니하냐.

예레미야 23:24

God's Presence

Jeremiah 23:24

"Can anyone hide in secret places so that I cannot see him?" declares the Lord. "Do not I fill heaven and earth?" declares the Lord.

Jeremiah 23:24

하나님의 은혜

고린도후서 9:8
하나님이 능히 모든 은혜를 너희에게 넘치게 하시나니 이는 너희로 모든 일에 항상 모든 것이 넉넉하여 모든 착한 일을 넘치게 하게 하려 하심이라.

고린도후서 9:8

God's Grace

2 Corinthians 9:8

And God is able to make all grace abound to you, so that in all things at all times, having all that you need, you will abound in every good work.

2 Corinthians 9:8

하나님의 영광

역대상 29:11-13
여호와여 위대하심과 권능과 영광과 승리와 위엄이 다 주께 속하였사오니 천지에 있는 것이 다 주의 것이로소이다. 여호와여 주권도 주께 속하였사오니 주는 높으사 만물의 머리이심이니이다. 부와 귀가 주께로 말미암고 또 주는 만물의 주재가 되사 손에 권세와 능력이 있사오니 모든 사람을 크게 하심과 강하게 하심이 주의 손에 있나이다. 우리 하나님이여 이제 우리가 주께 감사하오며 주의 영화로운 이름을 찬양하나이다.

역대상 29:11-13

God's Glory

1 Chronicles 29:11-13

Yours, O Lord, is the greatness and the power and the glory and the majesty and the splendor, for everything in heaven and earth is Yours. Yours, O Lord, is the kingdom; You are exalted as head over all. Wealth and honor come from You; You are the ruler of all things. In Your hands are strength and power to exalt and give strength to all. Now, Our God, we give You thanks, and praise Your glorious name.

1 Chronicles 29:11-13

하나님의 성실

데살로니가후서 3:3
주는 미쁘사 너희를 굳건하게 하시고 악한 자에게서 지키시리라.

데살로니가후서 3:3

God's Faithfulness

2 Thessalonians 3:3

But the Lord is faithful, and He will strengthen and protect you from the evil one.

2 Thessalonians 3:3

하나님은 영이심

요한복음 4:24
하나님은 영이시니 예배하는 자가 영과 진리로 예배할지니라.

요한복음 4:24

God Is Spirit

John 4:24

God is spirit, and His worshipers must worship in spirit and in truth.

John 4:24

하나님의 거룩하심

베드로전서 1:15-16
오직 너희를 부르신 거룩한 이처럼 너희도 모든 행실에 거룩한 자가 되라. 기록되었으되 내가 거룩하니 너희도 거룩할지어다 하셨느니라.

베드로전서 1:15-16

God's Holiness

1 Peter 1:15-16

But just as He who called you is holy, so be holy in all you do; for it is written: "Be holy, because I am holy."

1 Peter 1:15-16

하나님의 광대하심

시편 145:3
여호와는 위대하시니 크게 찬양할 것이라. 그의 위대하심을 측량하지 못하리로다.

시편 145:3

God's Greatness

Psalm 145:3

Great is the Lord and most worthy of praise; His greatness no one can fathom.

Psalm 145:3

하나님의 사랑

요한일서 4:10
사랑은 여기 있으니 우리가 하나님을 사랑한 것이 아니요 하나님이 우리를 사랑하사 우리 죄를 속하기 위하여 화목 제물로 그 아들을 보내셨음이라.

요한일서 4:10

God's Love

1 John 4:10

This is love: not that we loved God, but that He loved us and sent His Son as an atoning sacrifice for our sins.

1 John 4:10

하나님의 긍휼

시편 86:15
그러나 주여 주는 긍휼히 여기시며 은혜를 베푸시며 노하기를 더디 하시며 인자와 진실이 풍성하신 하나님이시오니

시편 86:15

God's Mercy

Psalm 86:15

But You, O Lord, are a compassionate and gracious God, slow to anger, abounding in love and faithfulness.

Psalm 86:15

하나님의 절대주권

로마서 8:28
우리가 알거니와 하나님을 사랑하는 자 곧 그의 뜻대로 부르심을 입은 자들에게는 모든 것이 합력하여 선을 이루느니라.

로마서 8:28

God's Sovereignty

Romans 8:28

And we know that in all things God works for the good of those who love Him, who have been called according to His purpose.

Romans 8:28

3. 하나님

1) 능력	렘 32:17
2) 지혜	롬 11:33
3) 임재	렘 23:24
4) 은혜	고후 9:8
5) 영광	대상 29:11-13
6) 성실	살후 3:3
7) 영이심	요 4:24
8) 거룩하심	벧전 1:15-16
9) 광대하심	시 145:3
10) 사랑	요일 4:10
11) 긍휼	시 86:15
12) 절대주권	롬 8:28

NIV

series 1

Getting to Know God

네비게이토 출판사
http://navpress.co.kr

Printed in Korea
값 2,500원

9 788937 503764